Avión Cuatro Vientos, 7. 41013 Sevilla
Telefax: 954 095 558
andalucia@kalandraka.com
www.kalandraka.com

Impreso en Gráficas Anduriña, Poio
Primera edición: noviembre, 2012
ISBN: 978-84-92608-67-6
DL: SE 4026-2012

FSC
www.fsc.org

MIXTO
Papel procedente de
fuentes responsables
FSC® C104983

Gatito y la nieve

Joel Franz Rosell

Constanze v. Kitzing

kalandraka

Gatito y Conejita eran amigos.

Siempre jugaban juntos.

Unas veces en casa de la familia Gato
y otras en la de la familia Conejo.

Cuando pasaban mucho tiempo

sin salir de casa, sus mamás les solían decir:

–No es bueno pasar todo el día encerrados.

¡Id a jugar al aire libre!

Y los dos amigos bajaban a la calle.

Aquel día había nevado mucho.
Hacía frío, pero Conejita,
con su grueso abrigo blanco,
y Gatito, con su espeso abrigo negro,
estaban bien calentitos.

–¡Qué divertido es jugar en la nieve! –dijo Conejita.

–Hagamos un muñeco –propuso Gatito.

–No podemos hacer un conejo de nieve –se rio ella–.
Porque en cuanto le pongamos una zanahoria en la nariz:
¡Ñam!, se la zampará.

–Pues tampoco podemos hacer un gato de nieve –sonrió él–.
Una cola de nieve no se puede mover. Y cuando un gato
no mueve la cola es que no tiene ganas de jugar.

De todas maneras, la nieve estaba
demasiado blanda para hacer muñecos.

–¿Jugamos al escondite? –propuso Gatito.

–¡Oh, sí! –respondió Conejita, que adoraba ese juego.

Gatito fue el primero en esconderse.

Se refugió tras un montón de nieve.

Pero a Conejita le resultó muy fácil

descubrir a su amigo.

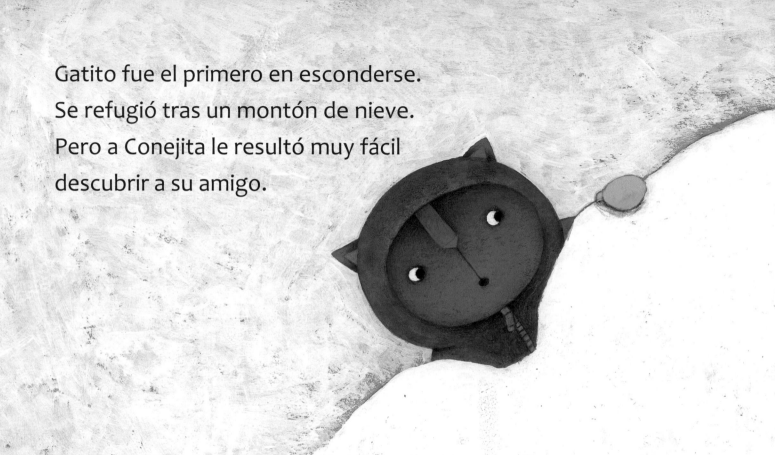

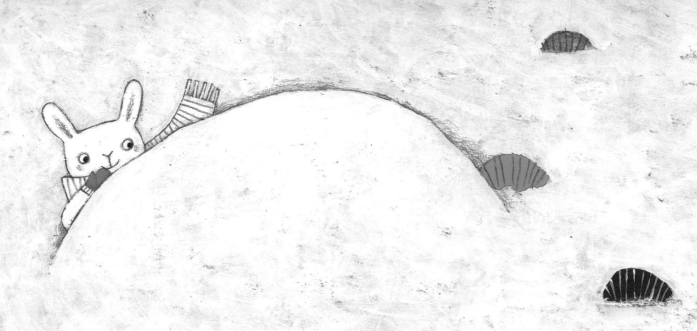

Cuando le tocó el turno a Conejita,
le bastó con esconderse
junto a una loma
para volverse casi invisible.

Gatito la buscó... la buscó...
pero no la descubrió hasta que ella
ya no pudo aguantar la risa.

–¡Esto no tiene gracia! –se quejó Gatito–.

Tú eres demasiado blanca para jugar en la nieve.

Mejor juguemos dentro de casa.

–No podemos –le recordó Conejita–.

Nos han dicho que juguemos al aire libre.

–Si bajamos al sótano sin hacer ruido,

nadie se dará cuenta –dijo él.

–¡Vale, genial! –gritó ella–.

¡Me encantan los sótanos!

El sótano de la familia Gato
era un buen lugar para jugar al escondite:
estaba lleno de trastos viejos y era muy oscuro.
Allí se guardaba el carbón para encender la vieja caldera
desde los tiempos del tátara-tátara-tataragato.

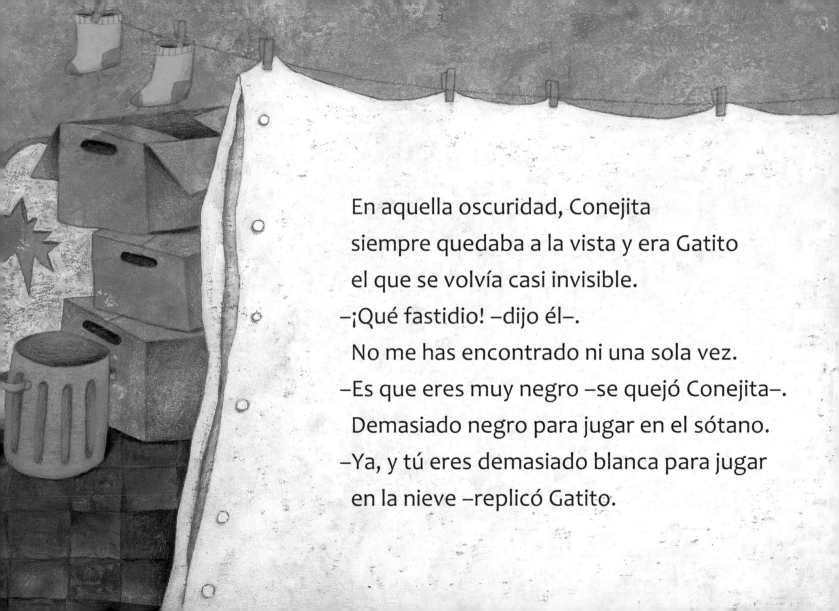

En aquella oscuridad, Conejita
siempre quedaba a la vista y era Gatito
el que se volvía casi invisible.

–¡Qué fastidio! –dijo él–.
No me has encontrado ni una sola vez.

–Es que eres muy negro –se quejó Conejita–.
Demasiado negro para jugar en el sótano.

–Ya, y tú eres demasiado blanca para jugar
en la nieve –replicó Gatito.

Los dos amigos salieron del sótano.

El blanco pelaje de Conejita

ya no era tan blanco:

¡tenía manchas de carbón por todas partes!

En ese momento, los copos de nieve

comenzaban a caer y se posaron sobre el pelaje de Gatito

que, de pronto, ya no era tan negro.

¡Por fin podían jugar al escondite!

Unas veces era Gatito quien descubría a Conejita.

Y otras era Conejita quien descubría a Gatito.

Los dos se parecían mucho:

blancos como la nieve y negros como el carbón.

¡Eso sí que era divertido!